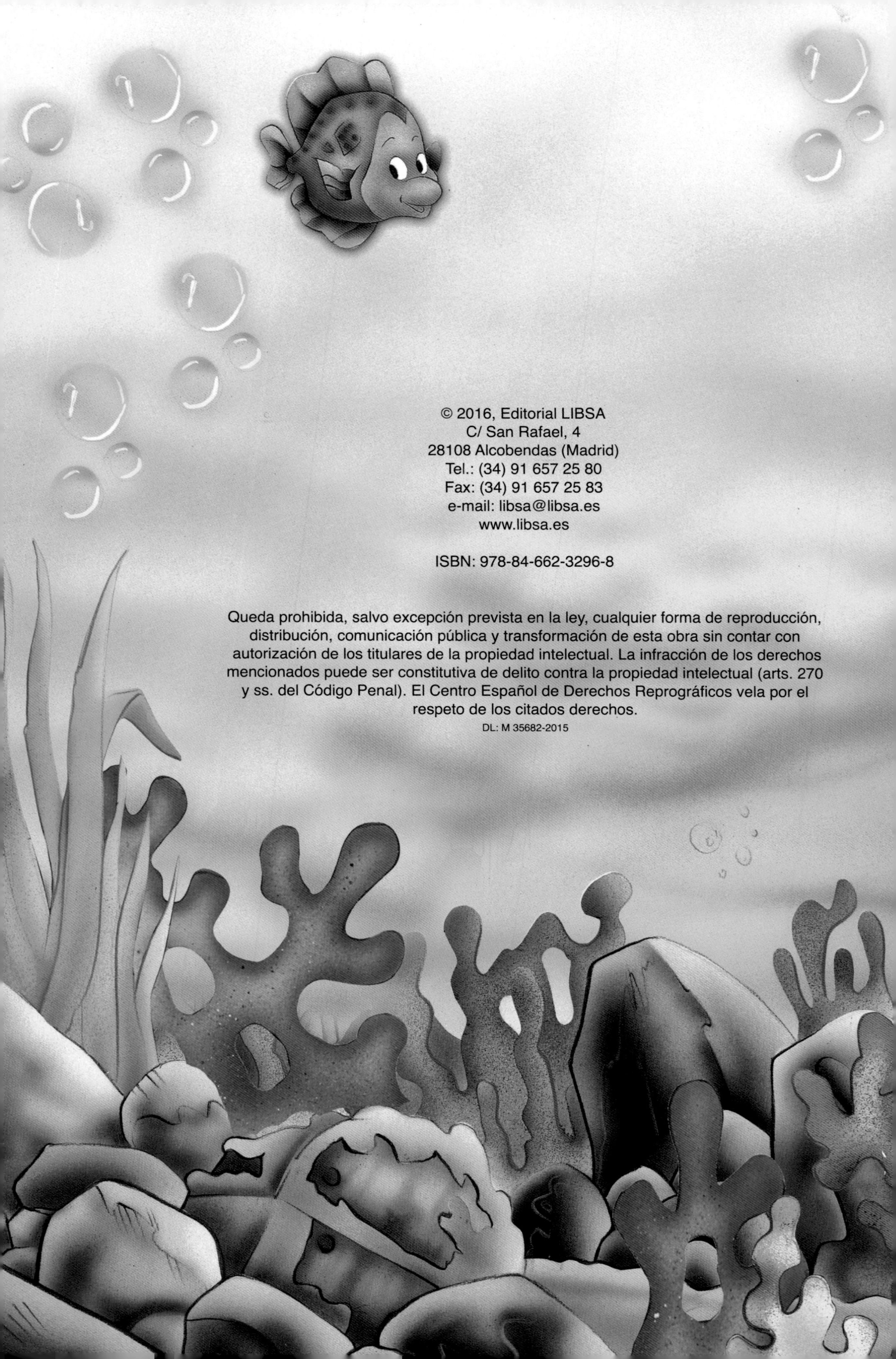

C/ San Rafael, 4
28108 Alcobendas (Madrid)
Tel.: (34) 91 657 25 80
Fax: (34) 91 657 25 83
e-mail: libsa@libsa.es
www.libsa.es

ISBN: 978-84-662-3296-8

DL: M 35682-2015

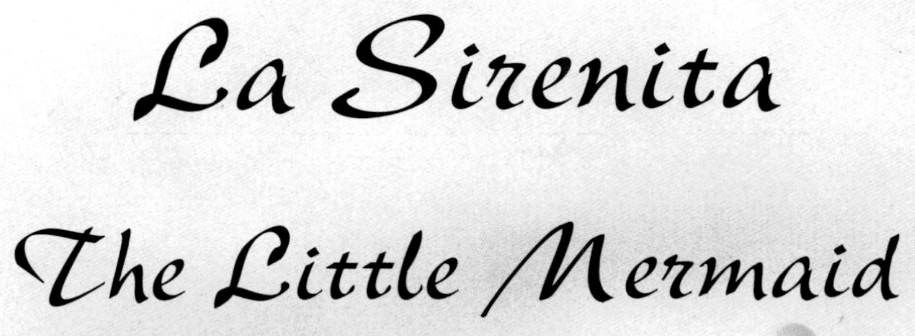
La Sirenita
The Little Mermaid

LIBSA

En el fondo del mar, vivía un pueblo entre maravillosas plantas y peces de colores. Allí se encontraba el palacio del rey de los mares, viudo desde hacía mucho, que tenía seis hijas, todas muy bellas.

At the bottom of the sea there lived a people, among marvellous plants and coloured fishes. There also was the palace of the king of the seas, who had been a widower for a long time and who had six daughters, all very beautiful.

Sin embargo, la menor de ellas era más bonita que las demás: tenía la piel muy suave y los ojos muy claros, pero su cuerpo no tenía pies, sino una cola de pez.

A esta sirenita le encantaba escuchar relatos sobre el mundo de los hombres y siempre le pedía a su abuela que le hablara de barcos, de seres humanos y de animales. Cosas de las que solo sabía por los pequeños objetos procedentes de naufragios que ella guardaba con mucho cariño.

———— • ————

However, the youngest of them all was prettier than the rest, with a smooth skin and bright eyes, but instead of feet, her body had a fish's tail.

This little mermaid loved to listen to tales about the world of men, and always asked her grandmother to talk about boats, human beings and animals, things that she knew about only thanks to little objects gleaned from shipwrecks, which she kept very carefully.

—Cuando cumpláis quince años, os daré permiso para subir a la superficie del mar y sentaros a la luz de la luna, para ver pasar los grandes navíos y conocer los bosques y las ciudades –les dijo un día su abuela.

"When each of you reaches your fifteenth birthday, I will give you permission to go up to the surface of the sea and sit in the moonlight, so that you can watch the huge ships and get to know the woods and cities," their grandmother told them one day.

Al año siguiente, la mayor de las hermanas cumpliría la edad y, como había un año de diferencia entre cada una de ellas, la más joven tendría que esperar cinco años para salir del fondo del mar. Las hermanas se comprometieron a relatar con sumo detalle todo lo que vieran en el mundo exterior.

———— • ————

The following year, the eldest of the sisters would be fifteen years old and, since there was a year's difference in age between each of them, the youngest would be obliged to wait five years before leaving the sea bed. The sisters promised one another to relate in great detail everything they saw in the outside world.

En su cumpleaños, la Sirenita fue nadando hacia la superficie. Iba contenta y emocionada. Cerca de ella había un hermoso navío con las velas desplegadas. Los marineros, sentados en la cubierta, celebraban una gran fiesta. La Sirenita se acercó más al barco y vio a un hermoso y joven príncipe que, precisamente ese día, también cumplía años.

At her birthday, the Little Mermaid swam towards the surface, happy and excited. Close to her there was a beautiful ship with candles everywhere. The sailors, seated on the deck, were having a big party. The Little Mermaid approached the boat and saw a handsome young prince, whose birthday it was on the very same day.

Se desató una terrible tempestad. Buscó al príncipe y lo vio sumergiéndose en las profundidades del mar. Nadó rápidamente y llegó hasta él en el momento en que las fuerzas empezaban a abandonarle.

A terrible tempest broke. She searched for the prince, and espied him sinking down into the depths of the sea. She swam quickly and reached him just at the moment when his strength was about to give out.

Ella le agarró con fuerza, sostuvo su cabeza por encima del agua y esperó a que la terrible tempestad se alejara.

She grabbed him, held his head above the water and waited for the terrible storm to abate.

Cuando el sol asomó en el horizonte, la Sirenita miró a su alrededor en busca de un lugar donde dejar al príncipe. Divisó a lo lejos la costa y nadó hasta allí llevando al joven inconsciente. Lo depositó con sumo cuidado en la arena y le dio un dulce beso: había hecho todo lo posible para salvarlo.

When the sun came up over the horizon, the Little Mermaid looked around her in order to find a place where she could put down the prince. She spotted the coast in the distance and swam to it while carrying the unconscious young man. She dropped him onto the sand with great care and gave him a gentle kiss: she had done all in her power to save him.

Unos pescadores que pasaban por ahí vieron al joven y se acercaron. Cuando lo incorporaron, él abrió los ojos, confuso, sin saber cómo había llegado a ese lugar.

Contenta de que el príncipe se recobrara, la Sirenita emprendió el regreso a casa de su padre. No cabía duda de que se había enamorado, pero también sabía que su amor era imposible.

Some fishermen who were passing by saw him and approached him. When they sat him up, he opened his eyes, confused, and unaware of how he had arrived there.

The Little Mermaid, happy that her prince was going to recover, yet filled with sadness because she wasn't at his side, set off to return to her father's home, while feeling no doubt that she loved with an impossible love.

Sus hermanas preguntaron a la Sirenita qué había visto, pero ella calló.

Todas las noches iba a la playa para ver al apuesto príncipe, pero no tuvo suerte. Un día, no pudo aguantar el secreto por más tiempo y contó a su abuela lo que sentía por ese joven: ella quería vivir en tierra con él.

La anciana le explicó que solo podría conseguirlo si el príncipe llegaba a amarla tanto, que solo pensara en ella todo el día; pero que eso no era fácil: a los hombres no les resulta bella la cola de pez, sino que para ellos lo bonito son esas columnas que llaman piernas. La pobre Sirenita suspiró apenada. Ella nada podía hacer por su amor.

———— • ————

Her sisters asked her what she had seen, but she remained silent.

Every night she would go to the seashore to look for the handsome prince, but she had no luck. One day, unable to bear the secret any longer, she told her grandmother what she felt for this young man, and that she wanted to live on land with him.

The old lady explained that she could only do this if the prince grew to love her so much that he would think only of her all day, but that wasn't easy: men don't think a fish's tale is very pretty; rather, they preferred those columns they call legs. The poor Little Mermaid sighed unhappily. She could do nothing about her love.

El tiempo fue pasando y cada día estaba más enamorada. Una noche decidió visitar a la bruja del mar en busca de ayuda.

—Sé lo que quieres –exclamó la bruja–. Aunque tus deseos son estúpidos, te ayudaré porque sé que ellos traerán tu desgracia.

Time passed, and each day her love deepened. One night, she decided to visit the witch of the sea and ask her for help. "I know what you want!" exclaimed the witch. "Although what you desire is stupid, I will help you because I know that it will cause your downfall."

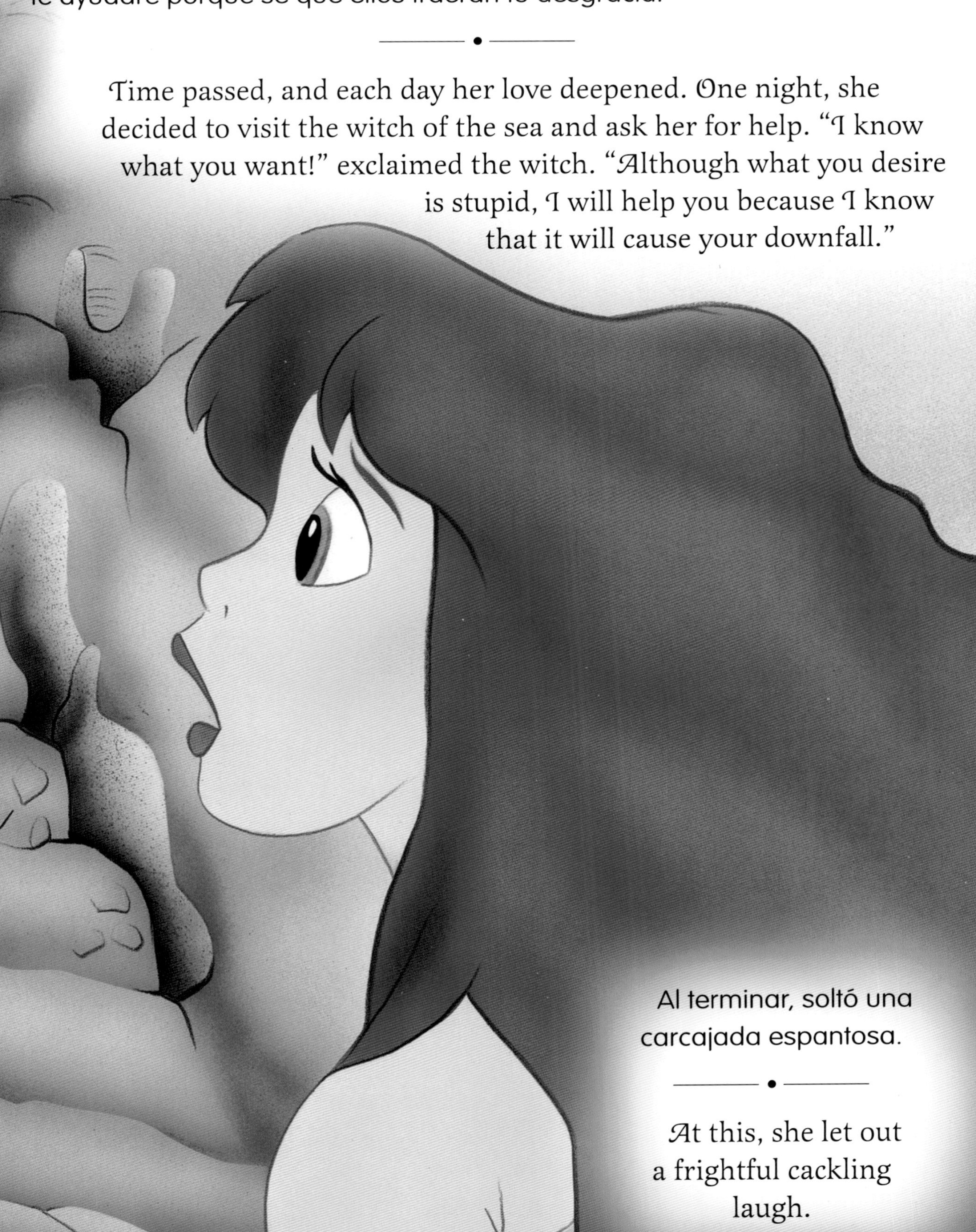

Al terminar, soltó una carcajada espantosa.

At this, she let out a frightful cackling laugh.

—Te prepararé un brebaje que llevarás a tierra al amanecer. Cuando llegues, siéntate en la costa y bébelo. Tu cola se partirá formando dos bonitas piernas. Pero ten presente que, cuando seas ser humano, jamás volverás a ser sirena: no verás más a tu familia ni podrás bajar al fondo del mar. Además, deberás pagarme el precio que yo te pida –agregó con una malvada risa.

—¿Qué quieres? –dijo la princesa asustada.

"I will prepare you a brew that you shall take to the shore at dawn. When you arrive, sit down on the sand and drink it. Your tail will part in two, forming two beautiful legs. But bear in mind that, when you become a human, you shall never be a mermaid again; you will not see your family again and you may not go down to the bottom of the sea. Besides, you must pay me the price I demand of you," she added with a malevolent cackle.

"What do you want?" asked the princess, frightened.

—Quiero tu voz –dijo la bruja–. Es la más hermosa del fondo del mar, con ella encantarías al príncipe, pero precisamente eso es lo que quiero.

Enseguida la bruja comenzó a preparar el brebaje mágico. Cuando casi lo había terminado, pidió a la Sirenita que cantara. Así, poco a poco, la bruja fue quitándole la voz. Cuando la Sirenita se quedó completamente muda, le entregó el frasquito con el elixir. La princesa lo prendió y movió la cabeza. Ya no podía hablar.

"I want your voice," replied the witch. "It is the most beautiful one under the sea, and you would enchant the prince with it, but it's precisely what I want for myself."

Straight away the witch began to prepare the magic brew. When she had almost finished, she asked the Little Mermaid to sing. And so, little by little, the witch took her voice away. Once the Mermaid was completely mute, she gave her the flask containing the elixir. The princess took it and bowed her head. Now she could not speak.

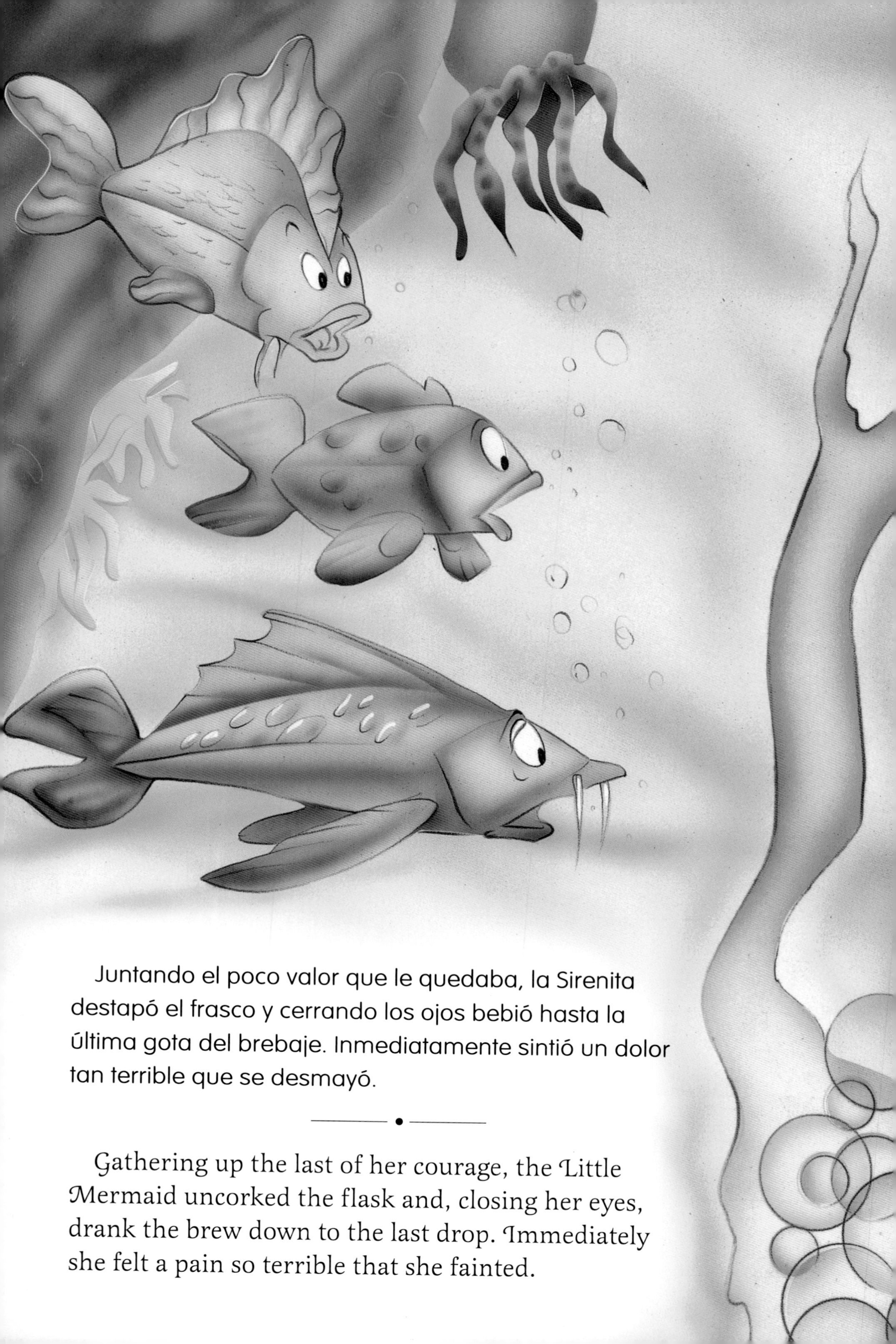

Juntando el poco valor que le quedaba, la Sirenita destapó el frasco y cerrando los ojos bebió hasta la última gota del brebaje. Inmediatamente sintió un dolor tan terrible que se desmayó.

Gathering up the last of her courage, the Little Mermaid uncorked the flask and, closing her eyes, drank the brew down to the last drop. Immediately she felt a pain so terrible that she fainted.

Cuando volvió a abrir los ojos, se encontró tendida en la playa con muchas personas a su alrededor. Recorrió a todos con la mirada hasta ver al príncipe. Este tenía clavados en ella sus preciosos ojos negros. La Sirenita intentó dedicarle una sonrisa, pero se sentía tan débil y exhausta que volvió a desmayarse.

When she opened her eyes, she found herself lying on the beach with a lot of people around her. She looked around them all until she espied the prince. He was transfixed by her beautiful black eyes. The Mermaid tried to smile at him, but she was so weak and exhausted that she fainted again.

—Mejor será que os marchéis –dijo el príncipe a todos los que estaban mirando–. Esta joven ha estado a punto de morir ahogada y lo que necesita es tranquilidad. Yo mismo la llevaré a palacio y allí descansará hasta que se recupere.

"You had all better go," said the prince to all the onlookers. "This young girl has been at the point of drowning, and what she needs is quiet. I myself will take her to the palace and she will rest there until she recovers."

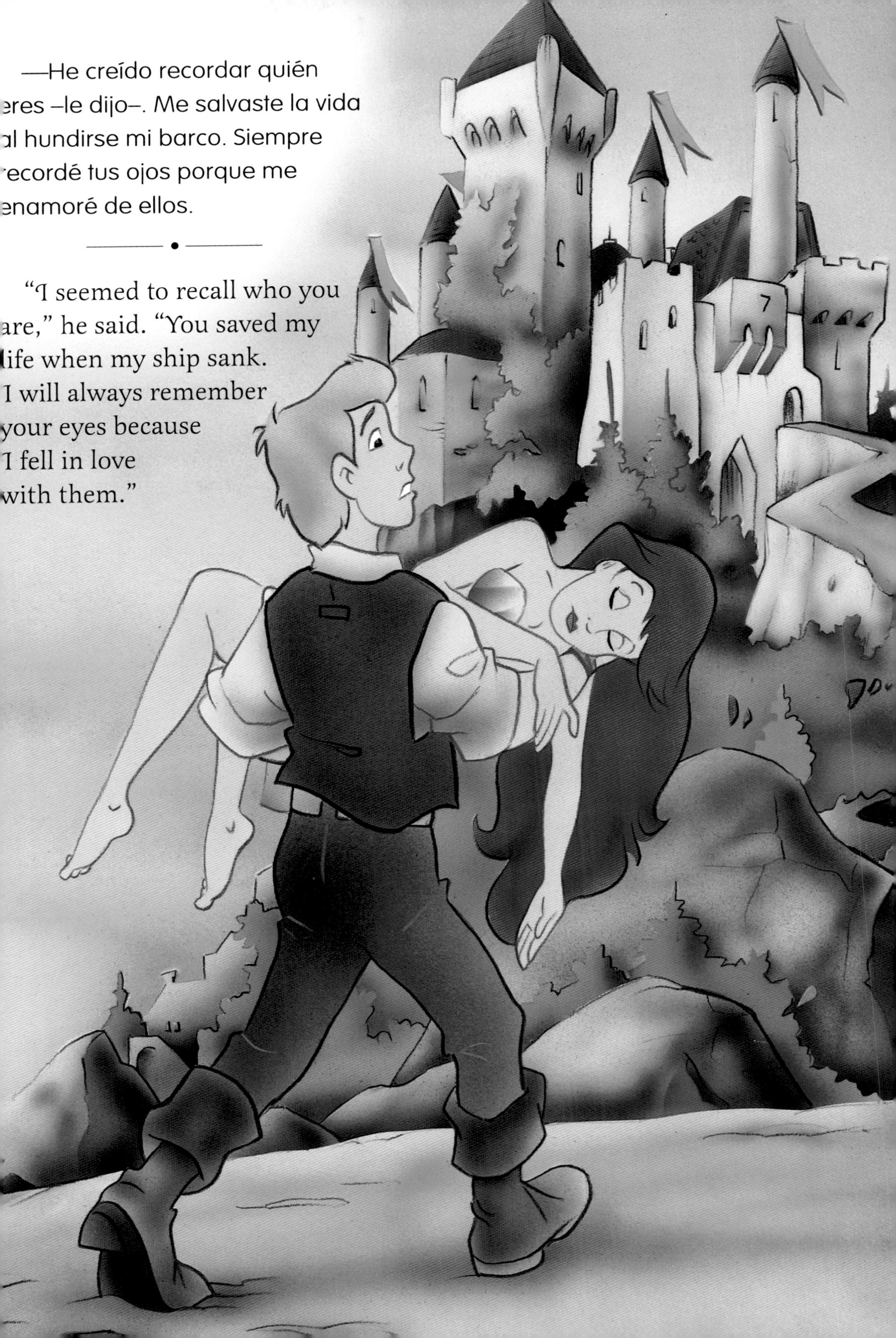

—He creído recordar quién eres –le dijo–. Me salvaste la vida al hundirse mi barco. Siempre recordé tus ojos porque me enamoré de ellos.

———— • ————

"I seemed to recall who you are," he said. "You saved my life when my ship sank. I will always remember your eyes because I fell in love with them."

El día de la boda el palacio fue adornado con las mejores galas.

On their wedding day the palace was adorned with the best finery.

Cuando el sacerdote preguntó a la Sirenita si quería aceptar al príncipe por esposo, se produjo un inesperado milagro: «Sí, quiero», respondió ella con su dulce voz.

When the priest asked the Mermaid whether she would take the prince for her husband, an unexpected miracle took place. "I will," she responded in her sweet voice.

Desde entonces, la Sirenita y el príncipe vivieron felices, disfrutando de su amor y de las delicias del mar desde la costa.

And so the Little Mermaid and the Prince lived happily ever after, delighting in their love and, from the shore, in the fruits of the sea.

Los viajes de Gulliver

Gulliver's Travels

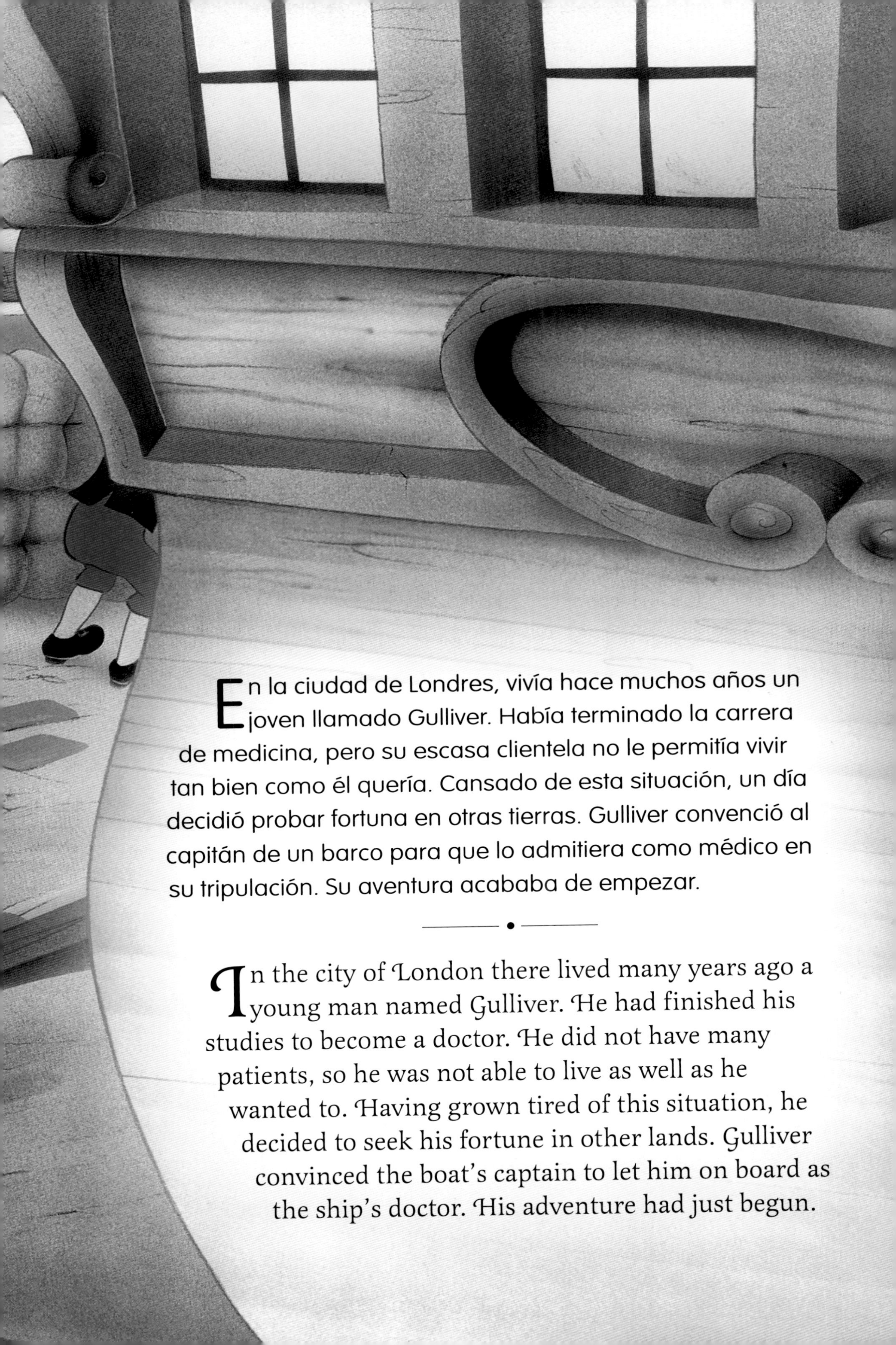

En la ciudad de Londres, vivía hace muchos años un joven llamado Gulliver. Había terminado la carrera de medicina, pero su escasa clientela no le permitía vivir tan bien como él quería. Cansado de esta situación, un día decidió probar fortuna en otras tierras. Gulliver convenció al capitán de un barco para que lo admitiera como médico en su tripulación. Su aventura acababa de empezar.

In the city of London there lived many years ago a young man named Gulliver. He had finished his studies to become a doctor. He did not have many patients, so he was not able to live as well as he wanted to. Having grown tired of this situation, he decided to seek his fortune in other lands. Gulliver convinced the boat's captain to let him on board as the ship's doctor. His adventure had just begun.

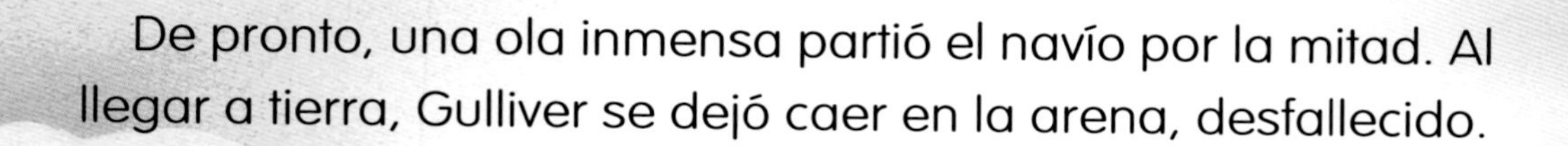

De pronto, una ola inmensa partió el navío por la mitad. Al llegar a tierra, Gulliver se dejó caer en la arena, desfallecido.

Suddenly a huge wave split the boat in two. Upon arriving on dry land, Gulliver collapsed and fell asleep, exhausted.

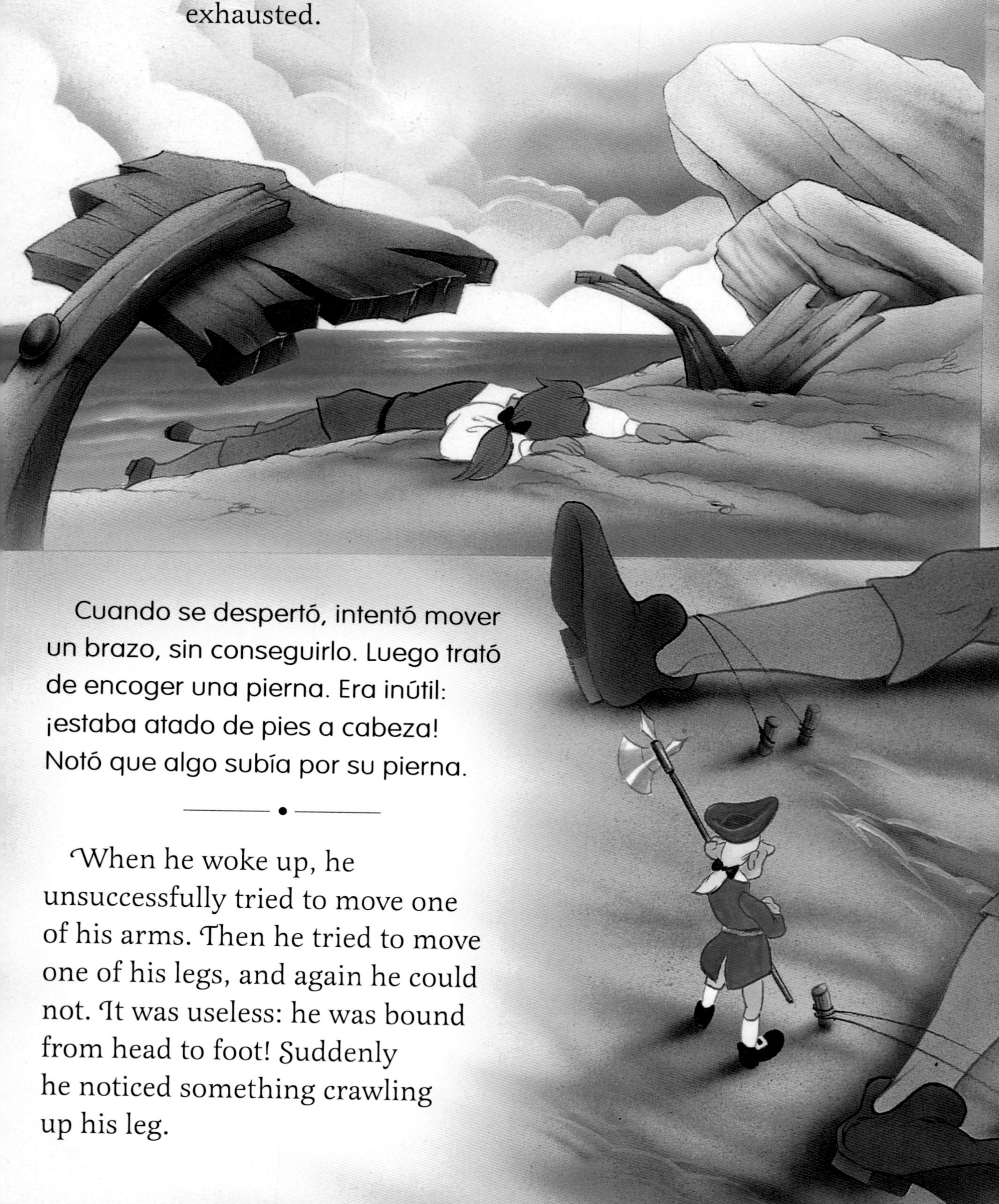

Cuando se despertó, intentó mover un brazo, sin conseguirlo. Luego trató de encoger una pierna. Era inútil: ¡estaba atado de pies a cabeza! Notó que algo subía por su pierna.

When he woke up, he unsuccessfully tried to move one of his arms. Then he tried to move one of his legs, and again he could not. It was useless: he was bound from head to foot! Suddenly he noticed something crawling up his leg.

Sentía como si una rata estuviera corriendo por su cuerpo. Se estremeció de horror, pero entonces sus ojos vieron algo asombroso.

It felt as if a rat was on him. He began to feel afraid, when suddenly he saw something extraordinary.

Gulliver descubrió asombrado un ejército de hombrecillos. Unos minúsculos soldados empezaron a disparar unas hachas diminutas.

—¡Vale, vale, ya está bien! –gritó–. ¿Quiénes sois? ¿Dónde estoy?

Gulliver saw that he was surrounded by a diminutive army of little men who began to fire tiny arrows at him.

"That is enough!" he said.
"Who are you?" "Where am I?"

Se adelantó el que parecía ser el capitán.

— Estás en Liliput. Pero, como eres nuestro prisionero, debes contestar a nuestras preguntas. ¿De dónde vienes? ¿Por qué eres tan grande? ¿Cómo has llegado hasta aquí?

One of the little men who looked like the captain approached him.

"You are in Lilliput. Now that you are our prisoner, you must answer our questions." "Where do you come from?" "Why are you so big?" "How did you get here?"

Gulliver les explicó que venía de un país lejano, en el que todos los seres humanos eran más o menos de su tamaño. Como vieron que era inofensivo, los liliputienses lo dejaron libre. El emperador se comportó amablemente con Gulliver y le dejó descansar en el edificio más grande de todo el reino.

Gulliver explained to them that he was from a far off land where everyone was more or less his height. Seeing that he was harmless, the Lilliputians set him free. The Emperor was very kind to Gulliver and allowed him to sleep in the largest building of the Kingdom.

Cuando Gulliver empezó a tener hambre, el emperador ordenó que trajeran abundantes alimentos y bebida. Pero no fue tan fácil, ya que fue necesario preparar comida como para un banquete para tres mil liliputienses. Una vez satisfecho su apetito, Gulliver se retiró a descansar.

Gulliver began to feel hungry and the Emperor had a lot of food and drink brought to him. It was not easy, because a banquet for three thousand Lilliputians had to be prepared in order to satisfy him. Once he had eaten, Gulliver retired for a bit of a rest.

Al despertar de su siesta, decidió dar un paseo por el pueblo. Allí encontró a un ingeniero que daba vueltas en su cabeza pensando cómo situar un nuevo puente. Gulliver, divertido, levantó el puente y, metiéndose en el mar, lo depositó de modo que las dos orillas de la cala quedaron unidas. Todos los liliputienses miraban la escena entusiasmados.

When he woke up from his nap, he decided to go for a walk around the village. He met an engineer who was trying to figure out where to place a new bridge. Gulliver, very amused, took the bridge and got into the sea. He carefully positioned the bridge so that the two shores of the beach would meet. All of the Lilliputians looked on and cheered in amazement!

Los liliputienses celebraron una fiesta por todo lo alto en honor a Gulliver. Pero, al cabo de un tiempo, el ministro de Economía del pequeño país empezó a hacer números y comprendió que alimentar a alguien del tamaño de Gulliver salía carísimo al Imperio. Nuestro amigo supo que había llegado la hora de marchar. Pero, ¿cómo lo haría?

The Lilliputians held a great feast in honor of Gulliver. But soon after, the Lilliputian Minister of Finance decided that it was very costly to feed someone as large as Gulliver. Our friend realized that it was time to go. How would he do it?

Sacó una barca que encontró en la playa y, con ayuda de sus amigos, la reparó para poder volver a su patria. Todos le despidieron con cariño.

Tras unos días, se encontró con un gran barco que lo llevó de regreso a Inglaterra.

He found a small boat on the beach and repaired it with the help of his friends so that he could return home safely. All of the Lilliputians went to see him of tearfully.

After a few days, he was found by a ship that took him back home to England.

Sin embargo, echaba de menos la aventura. Gulliver imaginaba los maravillosos lugares que esos barcos visitaban y deseaba hacerse a la mar. Al poco tiempo, se encontró de nuevo a bordo de un navío cumpliendo su deseo.

However, he missed going on adventures. Gulliver imagined the wonderful places that these ships would be visiting and he longed to set sail himself. In due course he found himself again on board a ship, making his wish come true.

Como el agua comenzó a escasear, cuando avistaron tierra algunos marineros se acercaron a la costa para buscar un río.

When the ship began to run low on fresh water, they headed for the nearest land. Gulliver and a few sailors went to look for a river.

Gulliver subió a una montaña y desde allí vio, horrorizado, un ser monstruoso y gigante que perseguía a sus compañeros. Gulliver se refugió en un trigal, ¡pero las espigas eran altas como árboles!

Gulliver climbed a mountain and from there he saw a giant creature chasing his shipmates! Gulliver sought refuge in a wheat field, but the stalks were as high as trees!

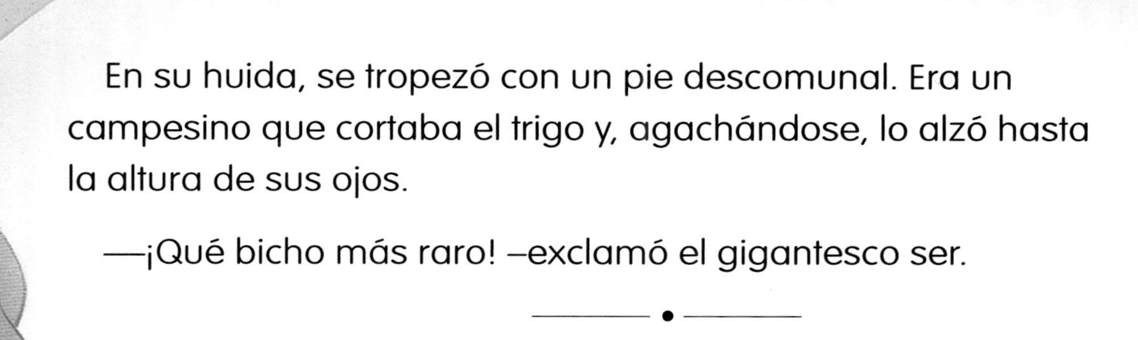

En su huida, se tropezó con un pie descomunal. Era un campesino que cortaba el trigo y, agachándose, lo alzó hasta la altura de sus ojos.

—¡Qué bicho más raro! –exclamó el gigantesco ser.

As he was fleeing, he tripped over a giant foot. It was a farmer who was harvesting the wheat.
He bent over and picked up Gulliver.

"What a strange creature!" said the giant.

Gulliver le explicó gritando a todo pulmón que era un ser humano. El hombre lo metió en su bolsillo para llevárselo a su casa. Después llamó a su familia y les enseñó con entusiasmo aquel hombre tan pequeño como un ratón. El campesino tenía una hija de nueve años que se convirtió en la protectora de Gulliver.

Gulliver explained, shouting at the top of his lungs, that he was a person. The giant put him in his pocket and took him home. Then he called his family and proudly showed them this little man who was the size of a mouse. The farmer had a daughter who was nine years old and she became Gulliver's protector.

La niña cuidó de Gulliver con todo cariño: le acostó en la cama de una de sus muñecas, le vistió y le dio de cenar. Ambos se hicieron buenos amigos.

———— • ————

The little girl lovingly took care of Gulliver. She put him to bed, dressed him and fed him. They both became good friends.

Le puso la ropa de sus muñecos; en un dedal le dio de beber agua y cortó trocitos de pan para que pudiera comer.

She dressed him in her doll's clothes, gave him water in a thimble, and cut up little pieces of bread so the he could eat them.

Entusiasmada, la reina pagó cien monedas de oro al campesino y se quedó con nuestro aventurero. A diario, Gulliver divertía a la reina contándole sus miles de aventuras.

The Queen was completely taken by Gulliver and she paid the farmer one hundred gold coins for him. Every day, Gulliver would entertain the Queen by telling her about his many adventures.

Gulliver le habló de Liliput, pero la reina no podía creer que existieran seres más pequeños que él.

Un día, mientras dormía, se despertó por el zumbido de tres avispas que avanzaban hacia él. Saltó de la cama espada en mano y, como era muy hábil en esgrima, salió vencedor.

Gulliver told her about Lilliput, but the Queen could not believe that there existed people who were tinier than he.

One day as he was sleeping, he was awakened by the buzzing of three wasps that were attacking him. He leapt out of bed, sword in hand, and defeated the wasps thanks to his expert swordsmanship.

En los días siguientes, el paje que siempre le acompañaba se quedó dormido y Gulliver aprovechó para escapar.

A few days later, the page who always accompanied him fell asleep and Gulliver decided to escape.

De pronto, nuestro héroe sintió que algo lo llevaba por los aires: había sido apresado por un águila. El animal voló sobre el mar mucho tiempo hasta que, fatigado, dejó caer a Gulliver.

Suddenly our hero felt himself being lifted through the air. He had been taken by an eagle. The bird flew over the sea for a long time until it got tired of carrying Gulliver and let him go.

Un barco que pasaba por allí lo llevó a su patria, donde escribió el relato de sus viajes. Según cuentan, nunca más quiso embarcar.

A passing ship took him back home, where he wrote a chronicle of his travels. They say he never went away to sea again.